Texte français: Anne Frère.

© 1987 Rada Matija AG, Faellanden, pour l'édition française aux Editions Nord-Sud.
© 1987 Nord-Süd Verlag, Mönchaltorf, Suisse. Tous droits réservés.
Imprimé en Allemagne. Loi n° 49-956 du 16 juillet 1949 sur les publications destinées à la jeunesse. Dépôt légal 3e trimestre 1987.
ISBN 3 85539 623 X

Edmond
l'aventureux oryctérope

Une histoire de Libor Schaffer
illustrée par

Agnès Mathieu

Un livre d'images Nord-Sud

Le pays des oryctéropes se trouvait loin, très loin, de l'autre côté du grand océan. C'était un vaste pays, un pays de soleil. La terre y était douce et sablonneuse et quelques montagnes rocheuses s'élevaient par-ci, par-là. La pluie tombait rarement, mais l'herbe, les buissons, les arbres se contentaient de cette terre aride.

Ils ne gaspillaient pas inutilement leurs forces à devenir très grands ou très fleuris et leurs rameaux et leurs branches, leurs feuilles et leurs fleurs se déployaient parcimonieusement sous le soleil brûlant.

Et cependant, c'était un beau pays, un pays absolument idéal pour ses habitants, les oryctéropes (ou cochons de terre, comme ils s'appelaient entre eux). Quel plaisir de faire des trous dans le sable et en un rien de temps se creuser un nouveau terrier de deux ou même trois mètres de profondeur! On y était à l'ombre et bien au frais – l'endroit idéal pour s'abriter du cuisant soleil de midi et pour faire un petit somme après une fatigante expédition.

En plus, dans ce maigre sol, les oryctéropes trouvaient à la pelle leur nourriture préférée: des milliards et des milliards de fourmis grouillaient dans tous les coins, à labourer inlassablement la terre, et des millions et des millions d'entre elles finissaient dans l'estomac des oryctéropes.

C'était un véritable paradis. Du sable, plein de terriers et des masses de fourmis délicieuses, à ne savoir qu'en faire. Aucun habitant de cette magnifique contrée n'aurait jamais songé à la quitter.

Aucun, sauf Edmond. Car Edmond aimait l'aventure. Il était le premier et le seul oryctérope à avoir escaladé la montagne la plus élevée du pays pour planter à son sommet le drapeau national des oryctéropes: la fourmi marron sur fond jaune.

Et Edmond était le premier et le seul à s'être aventuré à l'intérieur de la fameuse caverne dans cette autre montagne. Il cherchait le mystérieux trésor que ses ancêtres y auraient caché, mais il ne trouva rien.

Que mijote encore notre aventureux oryctérope? C'est le comble! Maintenant, il construit une barque! Le voilà qui veut cingler sur le grand océan!

Les autres oryctéropes secouèrent la tête. «Mais Edmond», dirent-ils, «c'est beaucoup trop dangereux! Et s'il y a une tempête, et que ta barque chavire?»

Mais Edmond rit de leurs craintes. «Ma barque ne chavirera pas», dit-il fermement, «c'est la barque la plus sûre du monde.»

Les oryctéropes insistèrent: «Et où veux-tu donc aller?»

«Je n'en sais rien», répondit Edmond. «J'irai au gré du vent et des vagues. Ils me mèneront bien quelque part.»

Il ne restait plus qu'à charger la caisse pleine de fourmis et le tonneau d'eau douce, et le voyage pouvait commencer.

Pendant des jours et des jours, Edmond navigua sur le grand océan. Bercé par les vagues, il goûtait la brise fraîche du large, l'odeur salée de la mer. Et il ne voyait que de l'eau, partout que de l'eau. Devant lui, derrière, à gauche, à droite l'eau limpide, étincelante!

Notre oryctérope était justement en train de manger son déjeuner, lorsqu'il vit poindre à l'horizon une langue de terre. Etait-il déjà retourné au pays des oryctéropes? Le beau voyage était-il fini? Ou bien existait-il vraiment un autre pays en ce monde, comme il l'avait pensé?

Le vent poussait la barque tout droit vers le rivage. Edmond pouvait distinguer au loin les forêts étendues, les hautes montagnes, les prairies fraîches de ce pays verdoyant, qui n'était pas le pays des oryctéropes.

Edmond mit pied à terre. Aussitôt, une foule de curieux animaux se pressa autour de lui. Edmond n'en croyait pas ses yeux. Jamais de sa vie il n'avait vu d'êtres aussi étranges. Ils étaient roses! Et ronds comme de gros galets, avec des groins courts et aplatis. Leurs oreilles étaient molles, flottantes, et pendouillaient bizarrement de leur tête boulotte. Mais le plus extraordinaire était leur queue. En fait, ce n'en était pas une: c'était une drôle de petite chose toute tortillée.

Edmond dut se retenir pour ne pas leur rire au nez.

Eux, par contre, ne se gênèrent pas. A peine l'eurent-ils vu sortir de sa barque, que ces étonnants animaux se mirent à pouffer et à rire aux larmes. Ils riaient tant que leurs oreilles leur fouettaient les joues et que le tortillon leur servant de queue frétillait en cadence.

«A-t-on jamais vu un pareil monstre?» s'exclamèrent-ils en continuant à se tordre de rire. «Quel animal grotesque! Et tous ces horribles poils!»

Edmond n'en revenait pas. Ces gros galets roses parlaient-ils de lui?

«Regardez», crièrent les barbares à la queue ridicule, «regardez cette toison! Ce museau qui n'en finit pas! Ces grands pieds! Ces oreilles en l'air! Et surtout, regardez donc cette queue! On dirait des fanes de carottes!»

Edmond était très vexé. «Où suis-je donc tombé?!» soupira-t-il.

«Ici, c'est le pays des cochons roses», grognèrent les galets roses en chœur. «Et toi, d'où viens-tu?»

«Du pays des oryctéropes, ou des cochons de terre, si vous préférez», répondit Edmond avec dignité.

«Oryctéropes, cochons de terre?» ricanèrent les cochons roses de plus belle. «A-t-on jamais entendu parler de pareilles choses?»

Le séjour d'Edmond en ce bizarre pays s'avéra excessivement désagréable. Les cochons roses ne faisaient que pouffer et rire en le voyant creuser ses trous. Et lorsqu'ils s'aperçurent qu'il mangeait des fourmis, ce fut le bouquet: ils se moquèrent de lui à n'en plus finir.

«Manger des fourmis! Quelle idée! Pas étonnant que tu sois aussi laid! A manger n'importe quoi!»

Edmond ne dit rien. Ces gros galets qui se vautraient dans la boue et qui n'arrêtaient pas de renifler, de faire les aspirateurs et de dévorer tout ce qu'ils trouvaient sur leur passage – ces porcs ne méritaient vraiment pas de réponse.

Pour la première fois, Edmond regretta son aventure. Si seulement il était resté chez lui, dans les plaines sablonneuses au pied des rochers, parmi ses semblables!

Après deux jours, Edmond en eut par-dessus la tête des cochons roses, de leur pays et de leurs stupides moqueries.

«Je repars», déclara-t-il. «Vous êtes des barbares.»

«Où vas-tu», demanda Raymond, l'un des cochons roses.

«Chez moi», répondit Edmond, définitivement de très mauvais poil. «Dans le beau pays des oryctéropes.»

«Dis, sont-ils tous comme toi?» voulut savoir Raymond.

«Evidemment», fit Edmond.

«C'est incroyable», s'exclama Raymond. «Cela me semble tout à fait impossible!»

«Si tu ne veux pas le croire, tu n'as qu'à venir voir», répliqua Edmond.

Les petits yeux de Raymond se firent tout ronds. «Tu m'emmènerais?»

«Si tu veux», dit Edmond. «Ma barque est bien assez grande pour deux. Mais s'il te plaît, arrête de te moquer de moi!»

Raymond dit: «Tu as raison.»

Et cela paraît à peine croyable, Edmond et Raymond, le cochon de terre et le cochon rose, s'embarquèrent ensemble.

Au bout de quelques jours, ils arrivèrent au pays des oryctéropes. Mais à peine Raymond eut-il mis pied à terre que les oryctéropes se mirent à rire aux éclats.

«A-t-on jamais vu un animal rose?» s'écrièrent-ils. «Quelle tête! Quelle peau! Et ces pieds! Et surtout, regardez donc cette queue!»

Edmond était furieux. «Ça suffit!» cria-t-il. «Que les cochons roses se soient moqués de moi n'est pas une raison pour que vous en fassiez autant. Je vous présente Raymond. C'est un cochon rose comme tous les autres. C'est stupide de se moquer de quelqu'un parce qu'il est différent.»

Tout le monde baissa la tête. Edmond avait raison.

Depuis lors, bien des barques traversent l'océan pour aller d'un pays à l'autre. Tantôt, un cochon de terre va voir les cochons roses et tantôt, un cochon rose vient voir les cochons de terre. Et ils rient beaucoup… ensemble.